BO

BYW'N HAPUS AR LAI

BODLON

BYW'N HAPUS AR LAI

Argraffiad cyntaf — Tachwedd 2011

ISBN 978 0 86074 274 6

Er cof am
FFION HAF
a wnaeth ei gorau i newid y byd
drwy gân a gweithred

Dymuna Angharad ddiolch i'r canlynol am ddangos y ffordd:
– Sara Ashton am ei gwaith gyda chynllun y Dref Werdd yn Blaenau Ffestiniog
– Angharad Penrhyn Jones am ei hymrwymiad a'i dyfalbarhad
– diolch arbennig i Gwenith Hughes am ei llyfr arloesol *Y Byd yn eich Poced*.
Diolch hefyd i Marred Glynn Jones am bob cymorth efo'r llyfr hwn.

Dyfyniadau trwy garedigrwydd: Gwasg Gomer (*Dail Pren*, Waldo Williams);
Y Lolfa ac Eisteddfod Genedlaethol Cymru (*Si Hei Lwli*, Angharad Tomos).

Ffotograffau trwy garedigrwydd: Dewi Glyn Jones – clawr blaen, 8, 12, 16, 22, 28, 29, 38, 39, 46, 47 (gwaelod), 50, 52, 54, 57 (chwith), 58, 60; Gerallt Llewelyn – 10, 17, 18, 20, 21, 24, 31, 33, 34, 36, 40, 44, 47 (top), 48, 51, 53, 56, clawr cefn; Angharad Tomos – 25 (chwith), 43, 57 (de); Cymorth Cristnogol – 11 (top a gwaelod).

Dylunio: Elgan Griffiths

Mae'r cyhoeddwyr yn cydnabod cefnogaeth ariannol Cyngor Llyfrau Cymru.

Cyhoeddwyd gan
Wasg Gwynedd, Pwllheli

CYNNWYS

Daeth gŵr busnes ar draws **pysgotwr** a synnu o'i weld yn diogi wrth ei gwch ar lan Llyn y Gadair.

'**Pam** nad wyt ti'n pysgota?' gofynnodd y dyn busnes.

'Rydw i wedi dal digon o bysgod am y diwrnod,' atebodd y pysgotwr.

'Pam na ddali di **rhagor**?' gofynnodd y llall.

'Be fyddwn i'n ei wneud efo nhw?' holodd y pysgotwr.

'Ennill rhagor o arian. Yna gallet gael *motor* ar y cwch i ti gael pysgota mewn dyfroedd dyfnach a dal mwy fyth o bysgod. Gyda'r **arian** ychwanegol, gallet brynu rhwydi gwell a chael **mwy** o bysgod a mwy o elw. Ymhen dipyn, byddai gennyt ddigon o arian i brynu dau neu dri o gychod. Yna gallet fod yn **gyfoethog** fel fi.'

'Be wnawn i wedyn?' holodd y pysgotwr.

'Gallet eistedd yn ôl a mwynhau bywyd!' meddai'r dyn busnes yn frwd.

Edrychodd y pysgotwr yn hurt arno, a dweud,

'A be'n union ydach chi'n ei feddwl dwi'n ei wneud ar hyn o bryd?'

Cyflwyniad

Byddwch yn fodlon

'Arafwch . . . edrychwch o'ch cwmpas . . . dotiwch a rhyfeddwch . . . cyfrwch eich bendithion.' Pa mor aml y cawn ni'r cyfle i wneud hyn? Does dim digon o oriau yn y dydd i wneud y pethau angenrheidiol, heb sôn am y moethusrwydd o fedru aros a syllu.

Yng nghanol yr holl dechnoleg fodern, rhyfedd meddwl bod ein rheolaeth o Amser yn dirywio. Mwya'n byd o bethau sydd gennym, lleia'n byd o amser sydd yna. Ond Amser ydi'r adnodd mwyaf gwerthfawr sydd gennym – felly beth am ei hawlio 'nôl?

Y cyfan sydd raid inni ei wneud ydi dysgu bod yn fodlon. Dim ond inni fodloni ar lai, bydd yr ymdrech fawr i ennill arian yn arafu.

Dotio at wên plentyn . . . gwylio llygad y dydd . . . bwydo adar . . . cofleidio rhywun annwyl. Dyma'r pethau sy'n cyfrif mewn bywyd. A dydyn nhw'n costio dim.

Mae dysgu bodloni'n mynd yn gwbl groes i dueddiadau'r oes. Mae'r goblygiadau'n aruthrol. Ac eto, oni ddysgwn y wers syml hon, bydd ein byd a'n plant yn dioddef y canlyniadau. Ein dewis ni ydi o.

Angharad

Gobaith fo'n
meistr:
rhoed Amser
inni'n was.

('Cymru'n un', *Dail Pren*,
Waldo Williams)

Byddwch yn rebel!
Bytwch fwyd iach!

Be Ga' i i'w Fwyta?

Cyfaddefiad cwc Pot Noodle!

Un peth rydw i'n hoffi'i wneud ydi bwyta. Mae'r ffaith bod yn rhaid inni wneud hynny deirgwaith y dydd i gadw'n fyw yn rhoi boddhad di-ben-draw i mi.

Un o'r pethau ddaw i'm meddwl yn syth ar ôl imi ddeffro ydi, 'Be ga' i i frecwast heddiw?' Ydw i'n teimlo fel cael powlennaid gyfforddus o uwd efo banana, neu lwyaid o syrup – neu'r ddau? Neu fyddai'n well gen i gael tafell o dost bara grawn blasus a marmalêd chwerw-felys wedi'i daenu drosto? Mae gweld yr haul trwy botiad o farmalêd aur ac arogli tost a choffi ben bore yn un o bleserau bywyd.

Mae gwneud amser i fwyta yn bwysig – a gwneud amser i baratoi bwyd hefyd. Dwi'n gwenu wrth sgwennu'r frawddeg ddiwethaf achos tan ryw bymtheg mlynedd yn ôl, fedrwn i ddim hyd yn oed ferwi ŵy. Mi ddaru mi fyw ar Pot Noodle a sglodion trwy ddyddiau coleg, a daeth caffis y wlad yn ail gartref i mi. Cefais fy ngeni'n ferch i gogyddes arbennig o dda, felly dewisais fyw efo hi am dri deg pum mlynedd cyntaf fy oes. Ddaru hi rioed drosglwyddo cyfrinachau'r grefft i mi – roedd hi'n rhy brysur yn coginio. Dim ond wedi imi symud oddi cartref y gwelais pa mor hanfodol oedd y gallu i goginio. Oni bai fy mod am fynd yn ôl i ddyddiau'r nwdls yn y pot, roedd angen gwneud rhywbeth ar fyrder. Priodais.

Mae 33% o'r holl ffrwythau a llysiau a dyfir ym Mhrydain yn cael eu taflu gan ffermwyr oherwydd bod archfarchnadoedd eisiau i bopeth edrych yn berffaith.

Bwyta pryd o fwyd yn 1960: 33 munud
Bwyta pryd o fwyd yn 2010: llai na 15 munud

Os ydi'r holl gynghorion am beth i'w fwyta yn eich drysu'n llwyr, tair rheol syml a hawdd i'w cofio ydi:

Bwyta bwyd lleol

Planhigion gan mwyaf

Dim gormod o ddim

Mwynhewch!

Do, gwnes yn siŵr mai dyn oedd yn gallu coginio fyddai fy nghymar oes. Roedd o'n ddi-Gymraeg, ac yn fegan (ac yn Hwntw), ond dim ots – roedd o'n un medrus yn y gegin! Felly, dyma daro bargen. Mi fydda fo'n dysgu Cymraeg os byddwn i'n ymwadu â chig. Fues i erioed yn fwytawr cig mawr, felly roedd cadw fy ochr i o'r fargen yn eitha hawdd. Mi gymerodd bum mlynedd faith i'r Dyn Fej gadw'i ochor o. Ond pan oedden ni'n canlyn, mi ddysgodd rai o gyfrinachau'r gegin i minnau. O ganlyniad, fedra i ddim hyd heddiw goginio dim byd ac iddo wyneb, felly fyddwn ni ddim yn trafod hynny yn y llyfr hwn.

Bwyta bwyd lleol

O'r holl bethau buddiol fedrwch chi eu gwneud er mwyn y blaned, bwyta bwyd wedi'i gynhyrchu'n lleol ydi'r un a wnaiff fwyaf o wahaniaeth. Hwn ydi'r un pwysicaf (a'r mwyaf pleserus).

Paid â bwyta wrth wylio'r teledu

Bydd yn fodlon ar dy gorff

Y DIWYDIANT BWYD A DIOD SY'N GYFRIFOL AM 25% O ÔL TROED ECOLEGOL CYMRU

> Er mwyn i ni gael ffa gwyrdd ffresh yng nghanol y gaeaf, rhaid i bobl Affrica fyw heb ddŵr. Collodd teulu o Kenya ugain o wartheg oherwydd sychder, ac eto roedd dŵr yn yr ardal i dyfu ffa.
> (Russell Jones, Byw yn y Ardd a Byw yn y Byd, S4C)

Mi agorodd marchnad leol yn y pentref nesaf, ac euthum yno'n llawn bwriadau da. Dyna lle ro'n i'n prynu llysiau organig llesol – a beth oedd yn mynd ar fy nerfau? Roedden nhw'n llawn pridd! Roedd gas gen i'r pridd yn gwneud llanast ar fy nghegin fach lân, ac ro'n i'n hiraethu am y llysiau clinigol mewn plastig oedd ar silff y siop.

Dydw i ddim yn meddwl mai fi ydi'r unig un sy'n teimlo fel hyn. Rydyn ni wedi'n dysgu i beidio bwyta pridd. Rydyn ni i *fod* i ffwdanu am lanweithdra. Ond taswn i'n rhofio pridd i ngheg, heb gyffwrdd y llysiau, dwi'n meddwl y byddai hynny'n fwy llesol i mi na rhoi yn fy ngheg yr holl gemegau sydd mewn bwydydd archfarchnad. Glanweithdra arwynebol ydi glanweithdra'r siopau mawr. Wrth gwrs bod eu llysiau'n edrych yn dda – cânt eu pwmpio efo cemegau/ychwanegolion i'w cadw i gael yr hyn a elwir yn 'maximum shelf life'? Ych a fi. Ac mae'r plastig a ddefnyddir i'w cadw'n 'ffresh' yn gwneud difrod di-ben-draw i'r amgylchedd.

DECHREUWCH AG UN PETH
FFRESH, LLEOL, ORGANIG –
EI GYNYDDU I DDAU,
AC YNA I DRI!

Poba dy fara dy hun

Mantais siopa'n lleol ydi nad oes angen gorchuddio popeth â phlastig. Un o'r defodau bach pwysicaf wrth siopa ydi mynd â'ch bag eich hun efo chi. Fedrwch chi ddim cael gormod o fagiau wrth law.

Daeth hyn yn bwysig i mi wedi i mi sgwennu'r sioe Y Crwban Mwyaf yn y Byd. Dyna ichi be laniodd – yn farw – ar draeth Harlech yn yr wythdegau: crwban cefn lledr anferth. Mae'r crwbanod hyn yn byw ar sglefrod môr. Pan gaiff ein sbwriel ni ei adael yn y môr, mae bag plastig llawn dŵr yn edrych yn union yr un fath â sglefren fôr. Mae'r crwbanod druan yn eu bwyta, ac o ganlyniad yn marw. Dyma reswm da iawn dros wrthod defnyddio bagiau plastig, a defnyddio 'bag crwban' neu 'turtle bag' yn ei le.

Tasech chi eisiau ei weld, mae'r Crwban Mwyaf yn y Byd i'w weld yn yr Amgueddfa Genedlaethol yng Nghaerdydd.

Wrth i bobl **siopa mewn** archfarchnadoedd, mae siopau lleol yn gorfod cau

Yn ddistaw bach, rhyngoch chi a fi, dwi'n meddwl bod tri chwarter y boblogaeth – naci, 90% o bobl – eisiau bwyta bwyd llesol, blasus. Maen nhw eisiau rhoi bwyd yn eu cyrff sy'n cadw'u cyrff yn iach, fel eu bod yn mwynhau'r iechyd gorau am yr amser hiraf posibl.

Adeg yr Ail Ryfel Byd, dyna fyddai'r Llywodraeth yn ei wneud – cynghori pobl sut i fwyta'n faethlon ar ychydig o arian. Doedd wiw i chi wastraffu dim (neu mi fyddai'r Jyrmans yn ennill). Jyst digon o fwyd i bawb a dim mwy – ar hynny y byddai'r pwyslais yn ystod y Rhyfel. Roedd pawb i dyfu hynny o lysiau fedren nhw, dan ddylanwad sloganau fel 'Mae'n amser torchi llewys!' Roedd pethau fel siwgr a chacennau'n cael eu dogni.

Roedd hynny, wrth gwrs, cyn i gwmnïau mawr ddod yn gryfach na llywodraethau. Fyddai wiw i chi ddogni siwgr rŵan, siŵr – mae gormod o bres yn cael ei wneud ohono. Dim ots fod pobl yn marw o ordewdra a chanser. Os oes pres i'w wneud, gadwch iddynt fwyta'r sothach rhataf. Mae'n ffordd erchyll o wneud elw.

Dydw i ddim yn gweld unrhyw lywodraeth yn mynd yn ôl at raglen y pedwardegau, ond mi fedrwn ni gychwyn ein gwrthryfel bach ein hunain. Mae yna lawer eisoes yn gwneud hynny, fel y Mudiad Bwyd Araf, y clywch fwy amdano gen i yn nes ymlaen.

Wfft i system bwyntiau'r archfarchnadoedd! Mi fedrwn ni wneud hebddyn nhw – os nad ydyn nhw'n dangos parch tuag at ein cyrff ni, does dim raid i ni roi'n harian iddyn nhwytha. Byddwch yn rebel! Bytwch fwyd iach! Gwnewch yn siŵr eich bod yn byw ar y byd yn hwy i fod yn ddraenan yn eu hystlys! Heddiw mae dechrau arni!

Ers y Pumdegau mae nifer yr oriau a dreulir yng ngwledydd Prydain yn paratoi bwyd wedi'i Chwarteru

Dydych chi ddim angen eich bwydo'ch hun wrth roi petrol yn y car. Petrol yn unig sydd ei angen mewn garej – gadwch y bar siocled ar ôl. Pan fyddwch yn dal trên, ewch â fflasg henffasiwn efo chi a gadwch y stwff yn y gwpan blastig lle mae o (ac arbed £2.50!). Dychmygwch Dic Aberdaron yn teithio erstalwm. Roedd o'n iawn efo dim byd ond brechdan yn ei sgrepan a chath wrth ei sodlau – roedd Dic yn gallu teithio heb goffi Starbucks.

Mae pob diawch o bob man rŵan yn bloeddio arnoch i fwyta, boed yn amgueddfa, garej neu swyddfa bost, yn ogystal â phob math o atyniadau twristaidd – copa'r Wyddfa hyd yn oed! Bob tro bydda i'n mynd i brynu stamp yn y swyddfa bost, dwi'n gorfod gwrthsefyll y silff siocled wrth aros (dwi'n ildio i'r demtasiwn bob tro ac yn prynu llyffant bach siocled). Banciau, am wn i, ydi'r unig lefydd sydd 'na ar ôl lle gallwch sefyll mewn ciw a pheidio cael eich temtio i fwyta.

Rhowch gynnig ar fwyta'n lleol, felly, hyd yn oed am un wythnos yn unig. Byddai'n gwneud gwahaniaeth i ffermwyr lleol ac i'r gymdogaeth rydych chi'n byw ynddi. A byddai'n newid yr hinsawdd a chyflwr y blaned.

Dim ond hynny . . .

Mudiad Bwyd Araf

O'r Eidal yn yr wythdegau y tarddodd mudiad (neu symudiad) Bwyd Araf. Un o'r pethau a'i symbylodd oedd gweld bwyty bwyd sydyn yn cael ei agor ger y Coliseum yn Rhufain.

Trodd criw o bobl eu cefnau ar y syniad o fwyd sydyn, rhad – bwyd yn cael ei goginio, ei werthu ac yna'i fwyta'n sâl ac yn sydyn. Mae angen parchu'r cynhyrchwyr, talu pris teg iddynt, parchu'n cyrff ein hunain a'r modd rydym yn bwyta, medden nhw. Os nad ydi hyn yn siwtio'r Farchnad, bid a fo am hynny. Pan fydd bwyd yn cael ei werthu'n rhad, mae rhywun yn y byd yn dioddef.

Bellach, mae 80,000 o bobl mewn 85 o wledydd yn aelodau o'r mudiad Bwyd Araf, sy'n gwneud gwaith gwych yn cysylltu cynhyrchwyr a phrynwyr bwyd â'i gilydd.

Eu neges?

ARAFWCH!

Rydan ni'n aml yn anghofio bod
modd cyrraedd llefydd trwy gerdded yno

Whî!

Mae'r nodwydd wedi mynd heibio chwe deg . . . saith deg . . . saith deg pump . . . wyth deg . . . Mae'r byd yn rhuthro heibio ar gyflymder o wyth deg pum milltir yr awr. Mae'r haul yn boeth, mae'n haf . . .

Penrhyddid cyflymder – does dim byd tebyg iddo fo. Rydw i'n credu fod dyn yn cael ei eni ddwywaith. Un waith pan ddaw allan o groth ei fam, a'r eilwaith pan mae'n pasio ei brawf gyrru. Daw profiadau cyffredin o ddydd i ddydd ar gyflymder cyffredin. Daw'r profiadau eithaf ar y cyflymder eithaf.

Whî!!! Dyma'r bywyd! Gyda'r miwsig yn llenwi nghlustiau, mae'r cyfan yn cyrraedd crescendo hyfryd wrth i'r ffordd ymagor o'm blaen.

Rhydd wyf . . .

Gyrru llai

Mae paragraffau agoriadol fy nofel *Si Hei Lwli* yn egluro'n well na dim y wefr a gaf o yrru. Dwi'n mwynhau gyrru, yn enwedig ar gyflymder. Byddai cael fy ngwahardd rhag gyrru'n ofid mawr i mi.

Am ddeng mlynedd ar hugain cyntaf fy mywyd, doeddwn i ddim yn gyrru car. Methais fy mhrawf gyrru cyntaf. Felly, does ryfedd mod i uwch ben fy nigon pan ges drwydded yrru o'r diwedd. Rhuthrwn o gwmpas y wlad fel merlen wedi'i gollwng yn rhydd. Rownd a rownd yr âi'r olwynion; doedd unlle'n rhy bell i mi yrru iddo.

Petai pawb yn y byd yn defnyddio cymaint o adnoddau â phobl Cymru, byddai angen 2.5 planed arnom

Roedd y ddegawd rhwng **1990** a **1999** yn gynhesach nag unrhyw ddegawd arall ers dechrau cadw cofnodion yn **1661**

Felly rydw i o hyd, a'r unig beth sy'n rhoi mymryn o reolaeth arna i ydi pris cynyddol petrol. Oni bai am hwnnw, beryg y byddwn ar fy ffordd i'r lleuad bellach!

Crocs o geir ydw i wedi'u cael hyd yma – bangars ail-law, a minnau'n eu gyrru nes eu bod yn marw. Ond, yn y flwyddyn 2010, gwelais Berlingo ar werth ym Mhen-y-groes a syrthiais mewn cariad ag o. Hwn oedd fy ngherbyd delfrydol, ac ro'n i'n benderfynol o'i gael. Unwaith y ces i o doedd dim stop arnaf. Roeddwn yn byw ynddo, yn teithio ynddo ac yn cysgu ynddo! Doedd dim modd ein gwahanu – y Berlingo a mi – nes i mi ryw ddiwrnod anghofio codi'r brêc, ac iddo fynd dros y dibyn a malu'n ddarnau mân. Colled drom oedd honno . . .

Dwy wers rydw i wedi'u dysgu o ganlyniad – peidio â charu fy ngherbyd gymaint, a threulio llai o amser ynddo. Pan oeddwn i'n ddi-gar, roedd bywyd yn fwy hamddenol, rhaid i mi gyfaddef (ac yn rhatach). Ar wahân i sir Benfro, roedd pob man o fewn cyrraedd trafnidiaeth gyhoeddus, ac roedd teithio'n weithred lawer mwy cymdeithasol. Bws y TrawsCambria fu fy ail gartref am flynyddoedd, a Rheilffordd y Cambrian. Os cawn lifft gan rywun, byddwn yn aros yng nghartref ffrindiau am noson cyn dod o hyd i fws neu lifft arall yn ôl y diwrnod

Paid â chymryd dy hun gymaint o ddifrif

canlynol. Rydw i'n ffodus iawn mod i'n gallu darllen a sgrifennu wrth deithio (ond nid wrth yrru – er i mi drio!), ac rydw i wedi darllen peth wmbredd o lyfrau ac wedi sgwennu llawer wrth deithio. I mi, hyd y mae'n bosib, dydi'r amser a werir yn teithio byth yn cael ei wastraffu.

Sut i leihau ein dibyniaeth ar geir, felly? Yn enwedig i hen 'hwch yrru' fel fi (os dyna'r cyfieithiad cywir o *road hog*).

Ddylai dau gar ddim bod yn dderbyniol o fewn un teulu – er bod hynny'n dibynnu ar leoliad eich cartref, wrth gwrs, ac er mod i'n gwrthod yn lân â rhannu un efo fy ngŵr! Mi ddaru ni drio – wir yr – ond roedd o'n fethiant gogoneddus.

Byddai pob bore'n cychwyn fel y peth 'gosa at ryfel byd:

FI: LLE TI'N MYND HEDDIW?
FO: GEN I GYFARFOD YN LLANBIDINODYN.
FI: PWY SY'N CAEL Y CAR?
FO: DOES 'NA DDIM TRAFNIDIAETH GYHOEDDUS I LANBIDINODYN. OEDD GEN TI GYNLLUNIAU?
FI: WEL . . . NAG OEDD. [DYNA FY NGHAMGYMERIAD]
FO: MI A' I Â'R CAR, 'TE.
FI: DIM OND MOD I WEDI MEDDWL . . .
FO: MEDDWL BE?
FI: RHYW HANNAR MEDDWL MYND I DRE.
FO: I BE?

YN YSTOD 2001, TEITHIODD POBL CYMRU **16,500** CILOMETR AR GYFARTALEDD. O'R **16,500** YMA, TEITHIWYD **8,700** CILOMETR MEWN CAR A **6,700** MEWN AWYREN

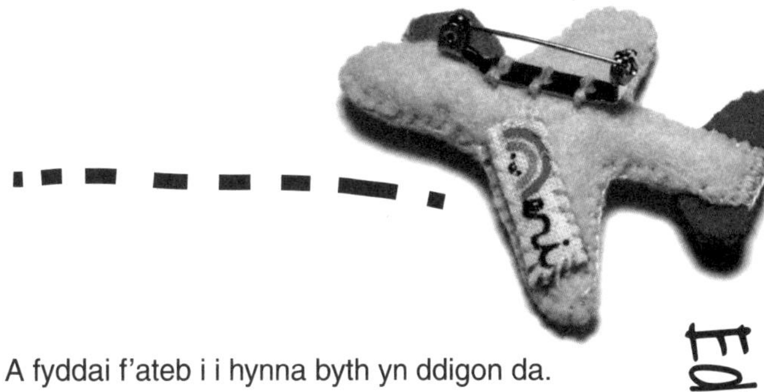

Edrycha ar yr awyr

A fyddai f'ateb i i hynna byth yn ddigon da.

Dydw i ddim yn un sy'n cynllunio'i bywyd, ond os oes 'na chwilen yn dod i mi a finna isio mynd i rywle, *fedra* i ddim mynd yno os nad oes 'na gar wrth law yn barod imi neidio iddo. Dwi'n dal i obeithio y daw 'na amser pan sylweddolaf fod 'cadw car tu allan' rhag ofn bod un ohonom eisiau mynd i rywle'n wiriondeb. Ond, i sawl merch, mae cael car yn gyfystyr â rhyddid, yn enwedig os oes ganddi blant bach. Yn rhy aml o lawer mae'r dyn yn y teulu'n cael yr unig gar i fynd i'r gwaith (lle bydd y car yn segur am weddill y dydd), tra bydd y Misus druan yn stryffaglio ar fysiau ac yn gwneud yr holl siopa hefo bagiau a bygi – a bywyd yn Troi'n Amhosibl. Dysgu dynion i ddefnyddio trafnidiaeth gyhoeddus sydd ei angen, fel y gall merched ddelio â'r cysyniad o un car i bob teulu.

Y SIWRNEIAU BYR A WNAWN YN EIN CEIR YDI'R DRWG, YN ÔL Y SÔN. MAE 46% O'R SIWRNEIAU A WNEIR MEWN CEIR DAN DDWY FILLTIR. TASAN NI'N TORRI I LAWR AR Y RHAIN, MI WNÂI FYD O LES I NI (A LLES I'R BYD).

Deallais werth beic pan o'n i am golli pwysau. I arbed amser ro'n i'n gyrru i'r gampfa, ac yna'n gwario pedair punt ar reidio beic oedd ddim yn symud. Dyna lle ro'n i'n chwysu'n ddiflas am hanner awr, yn syllu ar sgrin ddiflas, ac wedyn yn gyrru adref – cyn i mi sylweddoli pa mor hurt oedd y cyfan. Anghofiais y gampfa, cedwais y pedair punt yn fy mhoced a gadael y car lle roedd. Es i nôl fy meic, a mwynhau fy hun yn ei reidio yn yr awyr iach.

Fel yn achos llawer o bobl, roedd cadw fy meic yn y garej yn golygu mai aros yn y garej a wnâi o – roedd hi'n ormod o ymdrech i'w gael o allan. Oherwydd hyn, penderfynais ei gadw yn erbyn wal y tŷ. Roedd hi'n handi iawn neidio arno, a ffwrdd â mi os oedd y tywydd yn ffafriol.

Bu dau ganlyniad i'r 'cyfleustra' hwn. Dechreuodd y beic rydu, ac yn y diwedd cymerodd lleidr ffansi ato a diflannodd yn ebrwydd ryw noson. (Cafodd car y gŵr ei falu'r un noson; rhaid bod y lladron wedi methu dwyn y car ac wedi cymryd y beic fel gwobr gysur.) Bûm heb feic am flwyddyn, a phan gredais yn y diwedd i fuddsoddi mewn beic newydd, roedd o mor smart fel y talais swm cyffelyb am gwt smart i gadw'r beic dan glo. Bellach, does dim raid i mi boeni am na rhwd na lladron.

Pan fydda i'n meddwl *pam* dwi'n hoffi gyrru, yr elfen 'Whî!' yna dwi'n ei mwynhau. Wel, mi fedrwch gael honno hefyd – a mwy – wrth fynd ar feic. (Dwi ddim yn lecio helmed feicio, rhaid i mi gyfaddef, er bod gwisgo un yn gwneud synnwyr y dyddiau hyn. Pan af ar gyflymder i lawr allt, un o'r teimladau brafiaf fyddai teimlo'r gwynt trwy ngwallt.)

Felly, beic amdani – yn enwedig ar gyfer siwrneiau bach. Wnewch chi ddim difaru!

Peth arall y gall rhywun ei wneud i yrru llai ydi . . . cerdded, wrth gwrs! Rydan ni'n aml yn anghofio bod modd cyrraedd llefydd trwy gerdded yno. 'Cerdded' i mi ydi mynd am dro yn hamddenol; bob tro bydda i eisiau cyrraedd rhywle ar amser, mi fydda i'n neidio i mewn i'r car.

Eithriad i'r rheol hon ydi mynd â'r mab i'r ysgol. Pan ddechreuodd o yn yr ysgol, addewais y buaswn yn gwneud y daith tuag yno ar droed, waeth pa dywydd bynnag fyddai hi. Roedd hi'n ymddangos yn siwrne bell ar y cychwyn – hanner milltir o gerdded a gymerai ddeng munud o f'amser prin (a deng munud arall i gerdded yn ôl), a'r un ddwy daith i'w gwneud eto am dri y pnawn. Ond buan iawn y dois i arfer, ac unwaith y daw rhywbeth yn arferiad, dydi rywun ddim yn meddwl amdano. Buddsoddais mewn côt law dda, felly dydw i ddim yn gwlychu. Yn wir, deuthum i fwynhau cerdded yn y glaw. Pan fydd Hedydd yn ddigon hen i gerdded i'r ysgol ar ei ben ei hun, byddaf yn colli'r teithiau boreol hyn – y sgwrsio, cyfarch y ddynes lolipop, gweld pobl Pen-y-groes yn dechrau paratoi at ddiwrnod arall.

Roedd 83% o'r rhai a holwyd mewn arolwg yng Nghymru yn dweud bod gormod o geir ar y ffyrdd, a 65% yn dweud eu bod yn defnyddio'r car i fynd i'r gwaith neu i'r ysgol bob dydd.

Er mwyn gyrru llai, beth am . . .

Siopa'n lleol – a chofio mynd â bag neges efo chi!

Cerdded i unrhyw le sy'n llai na milltir o bellter (ar ôl buddsoddi mewn côt law dda), a beicio i ble bynnag sy'n nes na phedair milltir i ffwrdd. A chael o leiaf un diwrnod yr wythnos yn ddiwrnod di-gar?

Os oes rhaid mynd yn y car, cofio'r awgrymiadau i arbed petrol, sydd bellach dros £1.30 y litr.

Mae niferoedd yr ehedydd wedi
haneru yn y 30 mlynedd diwethaf

Rhoi'r Gorau i Hedfan

Bydd yn fentrus

Mae'n anodd deall yn iawn *pam* mae pobl yn ei wneud o. Talu canpunt mewn maes parcio. Eistedd am oriau mewn stafell aros. Treulio dwbl yr amser roeddech chi wedi'i fwriadu'n chwarae cardiau am nad oes dim byd yn digwydd. Bod heb fwyd am oriau meithion yng nghwmni pobl hollol ddieithr. Byw ar greision a choffi gwael. Cysgu ar y llawr. Gwirioni bod eich tro chi wedi cyrraedd ar ôl sefyll mewn ciw oedd fel petai heb na dechrau na diwedd. Eistedd i lawr drachefn (er nad oes sedd), a dechrau aros drachefn. Dim diddanwch, neb yn egluro be sy'n digwydd. Yn y diwedd – cael eich galw. Sefyllian eto, a swyddog yn eich byseddu'n ofalus a'ch archwilio. Caniatáu iddynt archwilio'ch bagiau'n drylwyr. Cael sedd o'r diwedd, a pheidio â symud o'r sedd honno am bum i chwe awr. Dieithriaid bob ochr ichi, bwyd sâl, diflastod, poen clust, chwydu a'r perygl o gael thrombosis. Poeni drwy'r amser fod rhywun yn mynd i'ch chwythu'n gyrbibion. A thalu crocbris am y profiad.

Dyna, bellach, yw realiti hedfan. (I'w wneud yn gwbl annioddefol, ewch drwy'r profiadau uchod hefo dau neu dri creadur dan ddeg oed.) Fedra i ddim meddwl am artaith gwaeth, a dim byd – *dim byd* – llai synhwyrus a rhamantus.

Mae un person mewn awyren am awr yn gyfrifol am yr un faint o allyriadau ('emissions') ag y mae un person yn Bangladesh am flwyddyn.

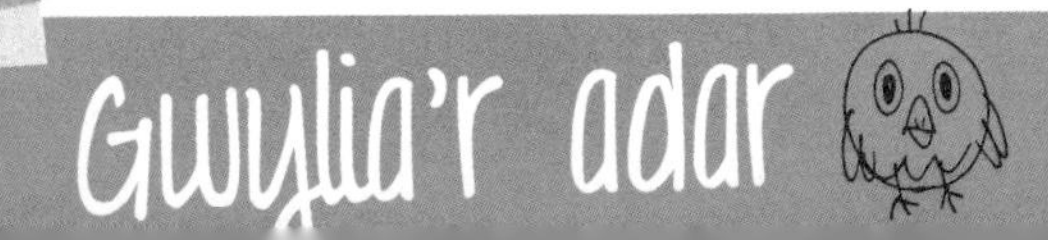

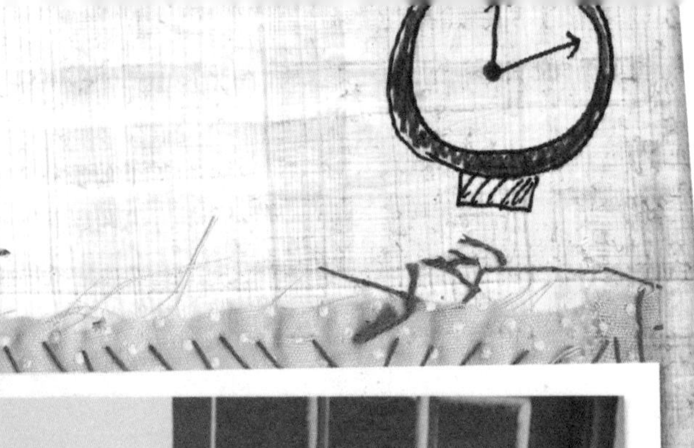

Stopia frysio

Y drwg ydi'n bod ni'n meddwl bod rhoi'r gorau i hedfan yn golygu rhoi'r gorau i deithio. Dydi hynny ddim yn wir. A deud y gwir, mi o'n i'n eitha mwynhau hedfan – yn enwedig cyn 9/11. Cofiaf fy mhrofiad cyntaf o hedfan (ac roedd hynny'n agos at fy mhen-blwydd yn ddeg ar hugain) a theimlo'r wefr o weld cymylau oddi tanaf. Rhoddai bersbectif gwahanol ar y byd. Ac ro'n i'n hoffi diwedd y daith, wrth i'r ddaear ddod yn nes, y mynyddoedd yn gliriach, ac yna gweld tai a choed o bersbectif cwbl newydd. Ond dyna pryd y byddai'r pigyn clust yn mynd yn wirioneddol annioddefol . . .

Pa wledydd dieithr y gallwch eu cyrraedd heb hedfan? Unrhyw wlad, os caniatewch ddigon o amser. Ers i mi roi'r gorau i hedfan saith mlynedd yn ôl, rydw i wedi teithio i Lydaw, Norwy, Ffrainc (sawl gwaith), Corsica, Gwlad Pwyl, Slofenia, yr Almaen, Gwlad Belg a Rwsia (naddo, anghofiwch yr olaf – mae'n rhaid mod i wedi hedfan i fanno!) – ac rydw i wedi gwneud y teithiau hyn i gyd efo plentyn bach.

I'r rhai ohonoch sydd â phlant, mae teithio ar drên yn filwaith haws. Mae plant a threnau'n mynd hefo'i gilydd fel mefus a hufen. Mae plant yn gwirioni ar y trenau eu hunain, ac yn gwbl rydd i godi a cherdded fel y mynnont (o fewn rheswm!). Does dim rhaid dioddef caethiwed gwregys. Gallant weld drwy'r ffenest drwy'r amser, ac mae digon o fynd a dod (yn wahanol, wrth gwrs, i awyren). Rydych yn cael defnyddio cyllyll ac yn cael gweu; does neb yn eich archwilio, a phrin iawn yw'r bygythiad o gael eich chwythu'n gyrbibion gan derfysgwyr.

FAINT O ALLYRIADAU ('EMISSIONS') MAE GWAHANOL DDULLIAU O DEITHIO'N GYFRIFOL AM EU CREU:

BEIC - DIM
BWS - 76g [GRAM] Y CILOMETR
TRÊN - 127g Y CILOMETR
CAR - 167g Y CILOMETR
AWYREN - 275g Y CILOMETR
4X4 - 445g Y CILOMETR

Y PETH GWAETHAF Y GALLWCH EI WNEUD I'R AMGYLCHEDD YDI MYND Â'CH PLANT I'R YSGOL BOB DYDD MEWN 4X4!

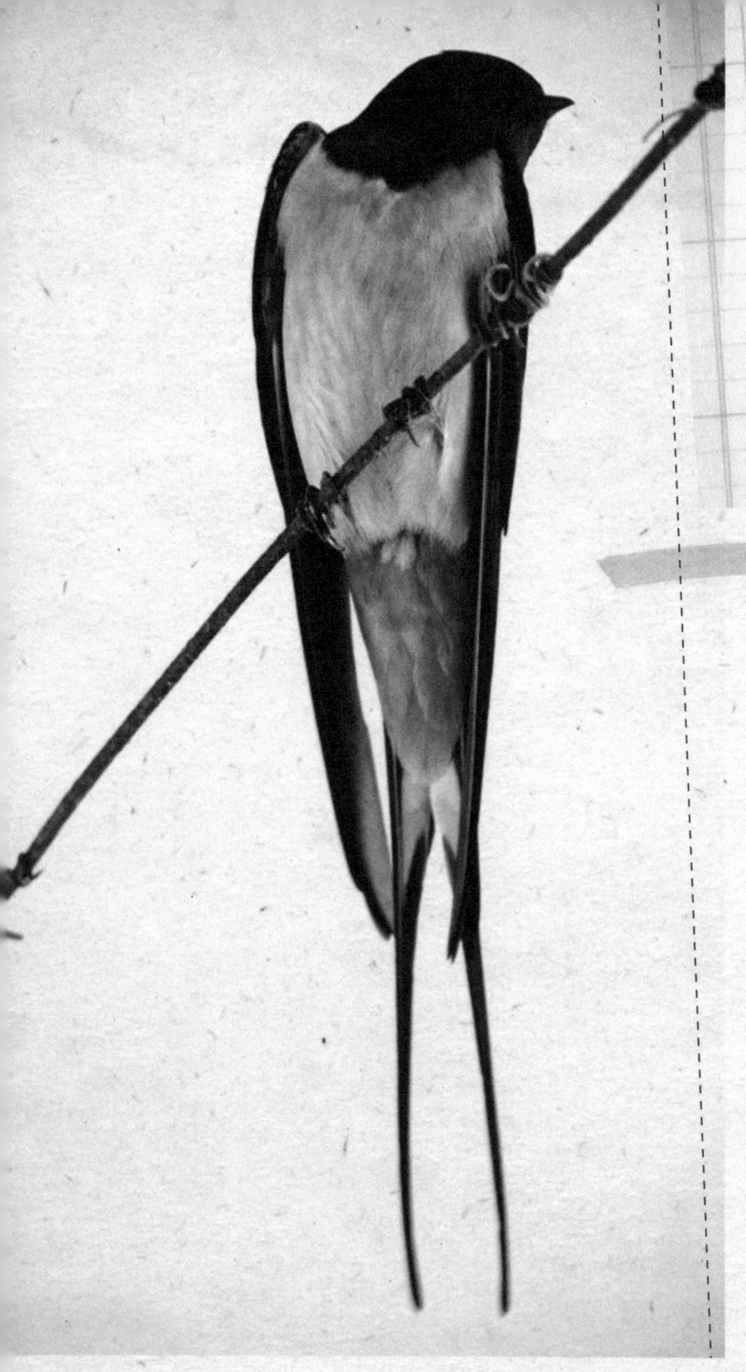

ER MWYN I ADAR GAEL PARHAU I HEDFAN, MAE'N RHAID I NI DDYSGU PEIDIO

Prin yw'r bobl hynny sydd ddim yn hoffi trenau, o'm profiad i. Ychydig iawn o brofiad o deithio ar drenau ges i fy hun yn blentyn – ces fy magu yn yr union ddegawd y penderfynodd yr Arglwydd Beeching gael gwared ar tua 60% o gledrau trên gwledydd Prydain. Ac eto, wedi gweld y ffilm epig *Doctor Zhivago*, ystyriwn y fath ddull rhamantus o deithio yn freuddwyd i'w gwireddu.

Yn y coleg yn Aberystwyth, a minnau'n ddi-gar a di-feic (ar wahân i feic modur y bûm yn berchen arno am bum mis cyn i'r horwth peth gael ei ddwyn, diolch byth), yr unig ffordd o deithio adref i ogledd Cymru oedd ar Reilffordd y Cambrian. Os nad ydych wedi teithio ar hon eto, gwnewch yn siŵr eich bod yn gwneud hynny. Dyma un o'r teithiau trên mwyaf gwefreiddiol sydd yna. O'r gogledd, mae'n cychwyn o Bwllheli ac yn dilyn yr arfordir mor agos fel eich bod yn grediniol eich bod yn teithio ar y môr. Mae'n brofiad cwbl unigryw. Ac os ydi'r haul yn machlud, mae'n ddigon i esgor ar awdl. (Os cewch eich dal wrth i blant ysgol Harlech herwgipio pob cerbyd mae peth o'r hud yn diflannu, ond amserwch eich taith yn ofalus a gallwch eu hosgoi.) Dydi'r trên ddim yn mynd ar ei ben i Aberystwyth, chwaith, ond yn hytrach i ganolbarth Lloegr. Felly, rhaid i bawb sydd eisiau mynd yn is na Machynlleth aros yn nhref Glyndŵr, neu fod fel adyn yn Dyfi Jyncshiyn hyd nes y daw'r trên am Aber i'ch achub ymhen rhyw hanner awr i awr.

Yn ffodus, aeth bwyell Beeching ddim ymhellach na Dover, felly ar ôl ichi ddal yr Ewroseren, gallwch edrych ymlaen at filoedd o filltiroedd o gledrau a threnau glân (a'r rheiny ar amser), a chael mynd a dod fel y mynnwch – bendigedig!

Os na wyddoch sut i fynd o'i chwmpas hi i drefnu taith o'r fath, ewch at gwmni teithio tebyg i gwmni Teithio Ffestiniog (www.ffestiniogtravel.com), sy'n fodlon trefnu'r cwbl trosoch. Llawlyfr hynod o handi ydi *Man in Seat 61: A Guide to Taking the Train through Europe* (Bantam Press). Mae gwefan 'The Man in Seat 61' ar gael hefyd – www.seat61.com.

Yr ochr yma i'r Almaen gallwch wneud y daith mewn diwrnod, ond dydych chi ddim yn drên-deithiwr profiadol nes i chi gael y profiad o gysgu ar drên. Tuag wyth o'r gloch y nos, daw'r gard heibio i roi cynfasau a gobennydd ichi. Gellir addasu seddi'r cerbyd i wneud gwelyau bync, a chi sy'n gosod y cynfasau. Wedyn, mae'n arferiad ganddon ni i fynd i'r caban caffi am siocled poeth cyn mynd am y ciando. Os ydi'ch cyd-deithwyr eisiau diffodd y golau uwchben eu bync nhw, mae golau bach ar gael i chi allu parhau i ddarllen. Fy hun, does dim profiad tebyg i fod yn hepian cysgu, a'r gwely'n siglo rhywfaint yn ôl ac ymlaen, fel crud, i'ch suo i gysgu. Tipyn o sioc y bore wedyn ydi deffro ar drên, ond buan iawn y dowch i sylweddoli bod cyfran helaeth o'ch taith wedi'i chwblhau tra oeddech chi'n cysgu. Am chwech y bore bydd cnoc ar y drws, a daw rhywun heibio hefo paned a *croissant* ichi. Hyfryd!

Pan deithion ni ar drên rownd Ewrop ganol y nawdegau, chawson ni'r un noson arbennig o dda o gwsg. Bob awr, byddai swyddogion yn dod heibio'r cerbyd i ofyn am gael gweld ein pasbort, a rhai garw fyddai swyddogion Dwyrain Ewrop am stampio pob pasbort yn ofalus. Yn yr Ewrop newydd ddiffiniau, mae hynny wedi hen ddarfod i bob pwrpas – ynghyd â'r newid arian tragwyddol, unwaith y daeth unffurfiaeth yr ewro i hwyluso pethau yn y rhan fwyaf o wledydd (er ei bod yn chwith ar ôl yr amrywiol bapurau hudolus).

Un peth sy'n gwbl hanfodol os ydych am deithio yn y modd hwn ydi nofel sy'n ymdrin â siwrne ar drên. Rhyw epig fel *Anna Karenina*.

Yn rhyfedd ddigon, wnaeth Tolstoy ddim sgwennu nofel am deithio ar awyren ...

Holwch eich hun:
'Ydw i eisiau hwn o ddifri?
Fedra i wneud hebddo?'

Yr Hen Ffordd o Fyw

Ydych chi eisiau newid eich tŷ a'ch bywyd, a'i newid y tu hwnt i bob adnabyddiaeth?

Ydych chi eisiau dau air hudol fydd yn gwneud eich cartref yn un llawer haws byw ynddo?

Mae'r ddau air syml yma gen i – **prynu llai**. Petaem yn gallu gwneud hyn, mae'n bosib mai dyma fyddai'n peri'r newid mwyaf i'n bywydau, ac i'r amgylchedd.

Pam ei fod o'n beth mor anodd i'w wneud? Pam mod i wastad yn cyrraedd y tŷ efo un os nad dau lond bag o bethau rydw i wedi eu prynu? Bûm yn meddwl mai rhyw wendid cynhenid ynof i oedd hyn nes i mi sylweddoli mai dyna bregeth fwyaf pwerus y Gorllewin – PRYNA!

Dim ots gynnon ni be brynwn ni, dim ots nad oes gennym arian parod, dim ots hyd yn oed os na allwn ei fforddio. Dim ots o gwbl nad ydym angen y gwrthrych dan sylw, dim ond ein bod yn ei brynu ac yn addo talu'r pris *ryw dro* fel y gall y Drefn fynd yn ei blaen. Dyna'r rheswm pam mae plentyn o dan saith oed eisoes wedi gweld rhyw filiwn o hysbysebion, medden nhw. Dyna pam mae catalogau rhad ac am ddim yn cael eu gwthio trwy'n drysau, a bod pobl gwydr dwbl yn ein ffonio. Dyna pam mae siopau'n gwario mwy ar hysbysebu na dim arall. Dyna pam mae prynu ar y We mor boblogaidd. Mae prynu pethau wedi dod yn rhwyddach nag erioed.

Nid fel hyn roedd hi yn oes fy nain. Mae pobl wedi chwenychu pethau erioed, ond yn oes fy nain, roedden nhw'n gwybod nad oedd ganddyn nhw obaith o wireddu eu breuddwydion. Bellach, efo credyd parhaol, mae modd cael unrhyw beth o fewn 24 awr – os gallwn ni aros cyhyd â hynny.

Cadwa gyfrif o dy wariant

Ond a ydyn ni'n hapusach pobl yn y Gorllewin? Mi ddylen ni fod, efo'r holl gyfoeth materol yma. Ond mae ymchwil yn dangos nad ydyn ni. Mae geiriau'r ymherawdr Marcus Aurelius mor wir heddiw ag yr oeddynt yn ei gyfnod o: 'Ychydig iawn sydd ei angen i gael bywyd hapus.'

Anfodlon?

Mae byd busnes eisiau'n cadw ni mewn cyflwr parhaol o anfodlonrwydd. Dim ond i bobl anfodlon y mae hysbysebion yn gweithio. 'Prynwch y soffa hon, a bydd eich bywyd yn fendigedig!' 'Byddwch berchen y car hwn, ac ni fydd prinder cariadon gennych!' 'Dyma'r powdr golchi dillad fydd yn datrys eich holl broblemau!' 'Prynwch y bwyd hwn i gadw'ch cath yn hapus.' Felly dyma ni'n prynu'r pethau hyn – ac ar ôl i newydd-deb y teganau bylu rydyn ni'n anfodlon, ac angen rhywbeth arall i'n llonni.

Fuo 'na rioed oes mor wastraffus.

Rydyn ni'n addurno llofft ar gyfer babi newydd-anedig, ac o fewn blwyddyn mae angen ei newid. Nid yn unig rhaid newid y gwely ond, yn enw ffasiwn, rhaid i bopeth weddu â'i gilydd. I'r bin â phob dim oedd yno cynt – ac mae 'na ddigon o ddodrefn a phapur wal a goleuadau arbennig ar gael ar gyfer plentyn teirblwydd. O fewn dwy neu dair blynedd, bydd raid ail-wneud yr orchest.

'Run peth efo teganau. Wnaiff yr un un tegan (na'r un un dodrefnyn) mo'r tro i ferched ag i fechgyn. Dyna sydd y tu ôl i'r obsesiwn i berswadio merched bach i gael popeth mewn pinc.

Pan briodais, roeddwn am gael fy hoff air ar fy modrwy, a'r gair hwnnw oedd '**Rhyddid**'. Mae'n dal yn hoff air gennyf, ond mae gen i un arall sy'n dod yn agos iawn ato, a hwnnw ydi '**Bodlon**'. Dyna gyfrinach bywyd hapus – nid faint o eiddo sydd gennym, ond ein bod yn fodlon ar yr hyn sydd gennym.

Barod am newid?

Mae angen i mi, felly, newid fy ffordd o feddwl. Rydw i wedi trio rhoi'r gorau i brynu cylchgronau, ond dwi'n dal i'w prynu. Dwi'n lecio pori trwy gatalogau hefyd – popeth yn iawn, os nad ydw i'n estyn am fy ngherdyn banc.

Ond rhowch gynnig ar hyn fel ymarferiad:

Peidiwch â symud o ble rydych chi. Codwch eich pen ac edrychwch o'ch cwmpas. Os ydych chi'n edrych ar eich cartref eich hun, ydych chi'n teimlo'n ddedwydd ac yn ddiolchgar? Pan wna i hyn, dwi'n gweld y staen ar y carped, yr angen am fwrdd newydd, y gôt o baent sydd ei hangen ar y waliau. Gweld y gwendidau wna i. Eto, daeth ffrind i'm tŷ yn ddiweddar a gwirioni ar y lle. Y cyfan a welai hi oedd yr haul yn dod drwy'r ffenestri, y clustogau diddos, y baned o de oedd yn ei haros a'r croeso roedd hi'n ei fwynhau. Dechreuais edrych ar y tŷ drwy'i llygaid hi, a chofio'r hyn oedd wedi apelio ataf pan symudais yma gyntaf. Dyna'r gwahaniaeth rhwng chwenychu a bod yn fodlon. Siŵr iawn y bydd yna wastad bethau i'w trwsio, i'w prynu a'u peintio. Ond mae o hefyd yn do uwch ein pennau, yn noddfa, yn gartref, ac mae ymarfer bodlonrwydd yn grefft sydd raid i minnau ei meithrin.

Ffarwél i'r siopau

Bob bore Sadwrn, bydd y rhan fwyaf o deuluoedd yn mynd allan i siopa. Dyma'r hoff weithgaredd amser hamdden bellach. Braidd yn anfoddog ydi'r plant yn aml oni bai eu bod hwythau'n cael prynu hefyd, felly mae'r arfer yn cael ei blannu – pryna, pryna, pryna.

Mae'n ffordd hawdd o dreulio'r amser, ond ystyriwch pa bethau y medrem fod yn eu gwneud yn hytrach na siopa ambell waith:

Gwnïo
Mynd i'r pwll nofio
Beicio
Coginio
Chwarae pêl-droed
Garddio
Galw heibio'r llyfrgell
Tynnu llun
Peintio
Mynd â ci am dro
Rhoi lluniau mewn albwm
Mynd i'r parc/cae chwarae
Darllen
Ymweld â ffrindiau

Hynny ydi, yr holl bethau y carem eu gwneud petai gennym fwy o amser!

Prynu llai

Cyn prynu, holwch y pethau hyn:
Ydw i wirioneddol ei angen?
Ydw i'n ei brynu i fod yn gyfoes?
Oes 'na hysbysebion wedi dylanwadu arna i?
Fedra i fyw hebddo? (Hwnna ydi'r un pwysig!)
Sawl awr fydd raid i mi weithio er mwyn talu amdano? (Mae hwnna'n un eitha da hefyd!)
Fydd angen rhoi gwasanaeth iddo?
Os ydi o'n cymryd lle rhywbeth arall, beth sy'n bod ar yr hen un?
Fedra i ei fenthyg o gan rywun arall?

Wedi i chi ateb yr holl gwestiynau hyn, os ydych chi'n dal eisiau'r gwrthrych, gwnewch nodyn ohono a'i bris, a dod yn ôl ymhen wythnos at y syniad o'i brynu. Erbyn hynny, mae'n debyg y byddwch wedi anghofio amdano ac y bydd yr awydd wedi diflannu. Ffansi'r funud ydi 90% o'r pethau a brynwn.

Prynu'n ail-law

Pan o'n i'n blentyn, ac eisiau gwario fy mhres prin ar rywbeth, pensil fyddai fy newis cyntaf. Ac ymateb fy nhad bob tro fyddai, 'Cadwch eich arian; mae gen i bensil adre.' Ac mi gawn i hen bensil ganddo – un ddi-lun wedi'i hen ddefnyddio. Doedd Nhad ddim fel petai'n deall swyn y newydd. Deallais ymhen blynyddoedd ei fod yn ei ddeall yn iawn, ond ei fod yn ceisio cael ei ferch i weld synnwyr (ac arbed arian). Peidio cael ein denu gan swyn y newydd ydi hanner y frwydr o ran arferion prynu.

Dydw i erioed wedi prynu car newydd sbon. Hen grocs ydw i wedi'u prynu erioed, ac maen nhw'n gwneud y tro yn iawn – y rhan fwyaf ohonynt! Rydw i wedi darganfod bod yr un peth yn wir hefyd am beiriannau golchi. (Ond efo nwyddau cyfrifiadurol,

Mae'r pethau gorau mewn bywyd am ddim – wir i chi!

dysga weu

dwi fel arfer yn mynd am rai newydd. Ac ar ôl tair stôf a aeth ar streic, mi brynais stôf newydd!)

Os ydych chi'n berson sy'n mynnu pethau newydd sbon drwy'r amser, ystyriwch brynu pethau ail-law ambell waith. Mi gewch eich synnu!

Ers y wasgfa ariannol, mae'n ddigon derbyniol yn gymdeithasol i brynu pethau ail-law, ac mae sêl cist car yn ôl mewn bri, a'r eBay. Unwaith y dechreuwch chi chwilio am fargeinion, daw'n arferiad anodd ei reoli. (Ond gwyliwch rhag cael dwywaith y deunydd rydych ei angen!)

Dillad ail-law sy'n peri problem i rai. Fel un o bump o blant, anaml y cawn i ddillad newydd sbon danlli, ond mi gymerodd flynyddoedd i mi fynd drwy ddrws siop elusen i brynu dillad. Bellach, caf fwy na hanner fy nillad o'r siopau hyn. Mi ddowch yn gyfarwydd â'r trefi sydd â siopau da, a wyddoch chi byth pryd y cewch fargen go iawn. Teimlad braf ydi cael dilledyn a chyfrannu at achos da yr un pryd. Tenovus, y Groes Goch a Scope ydi fy hoff siopau stryd fawr i. Un o'm hoff siacedi ydi'r un wlân binc Alexon ges i mewn siop elusen – a does dim raid imi ddweud wrth neb o ble ces i hi!

Os na fedrwch oddef y syniad o wisgo dillad pobl ddieithr, beth am dderbyn dillad ail-law gan aelod o'r teulu sydd yr un maint â chi? Rydym yn fodlon gwneud hyn efo'n plant – pam na allwn ei wneud o ein hunain?

Magwch yn eich plant gariad at awyr iach, a'u dysgu i barchu natur. Ewch efo nhw i wylio adar. Rhowch ddarn o'r ardd iddyn nhw gael tyfu llysiau ynddo. Perswadiwch nhw i gasglu dail a'u rhoi ar y domen, a gwneud yr un fath â chrwyn llysiau a ffrwythau. O fod allan a'u bysedd yn y pridd, yn arogli'r tir a'r blodau, mi ddônt i werthfawrogi hanfodion garddio. Mae mor bwysig bod ein plant yn teimlo'n gyfforddus ar y tir a ddim yn ystyried pridd fel rhywbeth budr.

Bydd yn frwd

Mae'r hyn yr arferai Nain ei ddweud yn wir –

pryn rad, pryn eilwaith

Gwnïo botwm

Os mai dim ond eich dillad eich hun rydych yn fodlon eu gwisgo, ewch ati i'w trwsio pan fydd twll ynddynt. Gwnïwch fotwm yn lle anghofio amdanynt! Dau funud a gymer hi i wnïo botwm. Byddwch angen nodwydd, edau, botwm a matsien. Gosodwch y botwm yn y man priodol, a'r fatsien oddi tano. Gwnïwch y botwm yn ei le, ac yna tynnu'r fatsien. Mae hyn yn sicrhau nad ydi'r botwm yn cael ei wnïo'n rhy dynn – sy'n bwysicach byth os ydi'r defnydd yn un trwchus, fel mewn côt.

Neges i mi fy hun ydi hon! Am ryw reswm, mae'r uchod yn ormod o drafferth, ac mae'n well gen i brynu dilledyn arall na thrafferthu i wnïo botwm. Ond, erbyn meddwl, *dydi* o ddim yn drafferth, 'yn nagdi? Efallai mai dod o hyd i nodwydd ac edau ydi'r rhan anoddaf. Byddai'n syniad da cael gafael ar hen fasged wnïo a dechrau casgliad o edau mewn gwahanol liwiau.

Dyma fyddai disgwyl i rywun fyw arno dan amodau'r dogni yn ystod yr Ail Ryfel Byd:

1 pâr o sanau bob 4 mis
1 pâr o sgidiau bob 8 mis
1 crys bob 20 mis
Pâr o drowsus a siaced bob 2 flynedd
Fest a thrôns bob 2 flynedd
Gwasgod bob 5 mlynedd
Gwasgod weu bob 5 mlynedd
1 gôt fawr bob 7 mlynedd

Caiff 80% o deganau'r byd eu cynhyrchu yn nhalaith Guangdong yn China mewn 8,000 o ffatrïoedd

Bodloni plant

Yr hyn sydd yn mynd â lle yn ein tai ydi geriach plant – yn gêmau, cyfrifiaduron, teledu, beiciau, sgwters a sgidiau olwynion. Mae'r rhestr yn ddiddiwedd. O gofio nad oes gan blant y gallu i brynu pethau eu hunain am ran helaeth o'u bywydau, rhaid wynebu'r caswir mai *ni* sy'n gyfrifol am lenwi'n tai â'r petheuach hyn – bob pen-blwydd, Dolig, penwythnos, unrhyw adeg o'r flwyddyn mewn gwirionedd.

Gwyddom oll pam rydym yn eu prynu – am ein bod eisiau ymddangos yn rhieni ffeind a chlên, ac am fod yn gas gennym ddweud 'Na'. Y tro nesaf y bydd eich plentyn yn edrych i fyw eich llygaid a chrefu am ryw degan neu'i gilydd, ceisiwch ynganu'r gair sy'n tabŵ y dyddiau hyn – 'NA'. Neu addo y byddwch yn mynd â fo neu hi am dro i'r parc i chwarae.

A dyfynnu Oscar Wilde, 'Dim ond dwy drasiedi sydd yna mewn bywyd: un ydi peidio â chael yr hyn mae rhywun ei eisiau, a'r llall ydi ei gael.'

Gwerthfawroga'r hyn sydd gen ti

Lluchia'r catalogau 'na

Rho gynnig ar hyn (mae'n hwyl!): cerdda o un stafell i'r llall yn dy dŷ gan ddotio at y pethau sy'n ei wneud yn gartref. Edrycha o'r newydd ar y pethau da sydd 'na. Dos trwy dy gwpwrdd dillad yn edmygu dy wisgoedd. Am bum munud ar ddiwedd pob diwrnod, eistedda mewn cadair esmwyth wrth y tân a gwerthfawroga bopeth sydd yn dy fywyd – boed yn blant, cymar, rhieni, ffrindiau, y lobsgows gest ti i swper, y baned sydd yn dy law, y wên roddodd rhywun iti heddiw, yr eiliad honno y gwelaist ti'r machlud neu'r dryw ar y wal. Dwed wrthat dy hun pa mor lwcus wyt ti – ac ymhen amser, byddi'n dechrau'i gredu!

Daw'n dillad gan mwyaf o'r Trydydd Byd. Merched ydi 90% o'r gweithwyr yn ffatrïoedd Bangladesh. Cânt £7 y mis am weithio 80 awr yr wythnos.

Chwenychu pethau ydi achos llawer o anhapusrwydd yn y byd

Awgrymiadau eraill sut i wario llai:

- Talu efo arian parod
- Peidio â phrynu gormod o bethau yr un pryd
- Peidio â phrynu rhywbeth mewn siop fargeinion nad ydych wedi'i brynu o'r blaen am y pris llawn (neu dydi o ddim yn fargen)
- Cyn talu, defnyddio'ch pen a pheidio â phrynu rhywbeth oni bai eich bod am gael defnydd ohono (dillad yn benodol!)
- Yn hytrach na dweud 'Gallaf wastad ei newid', dweud 'Dof yn ôl os dwi wirioneddol ei angen'
- Prynu pethau bach yn gyntaf – y drwg o brynu rhywbeth mawr (fel cyfrifiadur) yn gyntaf ydi bod holl nialwch swyddfa wedyn yn ymddangos yn rhad
- Gwneud rhestr siopa a glynu wrthi
- Peidio â phrynu rhywbeth o faint arbennig heb fod yn sicr beth ydi'r union faint hwnnw (ydi, swnio'n amlwg, ond rydym oll wedi'i wneud!)
- Peidio â siopa ar stumog wag
- Cadw draw o siopau – hon ydi'r ffordd hawsaf o beidio â phrynu!

Os nad ydych am eu prynu nhw, defnyddiwch eich llyfrgell leol!

Llyfrau defnyddiol:

All Consuming, Neal Lawson
(How shopping got us into this mess and how we can find our way out.) Penguin, 2009.

The Spend Less Handbook, Rebecca Ash
(365 tips for a better quality of life while actually spending less.) Capstone, 2008.

Do Nothing . . . Christmas is Coming,
Stephen Cottrell
(An Advent Calendar with a Difference.)
Church House Publishing, 2008.

Timeless Simplicity, John Lane
(Creative living in a consumer society.)
Green Books, 2001.

Food Rules, Michael Pollan
(An Eater's Manual)
Penguin, 2009.

Y Byd yn eich Poced, Gwenith Hughes
Gwasg y Dref Wen, 2008.

Cylchgrawn defnyddiol:

Y Papur Gwyrdd
Cyhoeddir bob deufis
Golygydd: Hywel Davies
Ffôn: 01792 798162
E-bost: ypapurgwyrdd1@btinternet.com
Gwefan: ypapurgwyrdd.com

Mae rhywbeth braf o
hen ffasiwn mewn
defnyddio hances

Wyt Ti Wedi Diffodd y Trydan?

Mi fyddwn wrth fy modd yn byw yn yr oes o'r blaen! Bob tro y byddaf yn ymweld â Chae'r Gors, cartref Kate Roberts, neu Amgueddfa Werin Cymru, Sain Ffagan, byddaf yn dychmygu fy hun yn nrws fy mwthyn efo f'ysgub, yn gwylio'r adar bach ac yn cyfarch y dydd. Mewn byd felly yr hoffwn i fyw – bywyd sy'n rhydd o dechnoleg yr oes fodern.

Mi ddaru mi drio byw felly pan ges i fy nhŷ fy hun am tro cyntaf, gan fyw o ddydd i ddydd efo pethau hen ffasiwn. Ysgub oedd gen i i lanhau'r llawr yn hytrach na hwfer, ac ro'n i'n mwynhau mynd i'r gwely yng ngolau cannwyll. Ac os gallai Nain wneud heb oergell, mi allwn innau hefyd. Ond wythnos barodd hynny: roedd y menyn a'r llefrith yn suro ac mi brynais oergell fach.

Diffodd, diffodd, diffodd

Dyma'r tri gair hud pan ddaw hi'n fater o ddefnyddio offer trydanol. Rydw i'n anobeithiol am wneud hynny fy hun, mae'n ddrwg gen i gyfaddef. Dwi'n anghofio diffodd y golau, y stôf (ydw!), y cyfrifiadur, yr argraffydd – popeth! Eto, mae diffodd pethau'n ffordd hynod effeithiol o leihau ein defnydd o garbon. Diffoddwch bob teclyn ar ôl i chi ei ddefnyddio, ac ewch i'r arfer o ddiffodd popeth cyn mynd i'r gwely.

Oherwydd mod i eisiau tŷ clyd, rydw i wedi cael gwres canolog. Oherwydd mod i eisiau tŷ glân, rydw i wedi cael hwfer. Rydw i hyd yn oed yn darllen yng ngolau lamp bellach cyn mynd i gysgu.

Erbyn hyn, dydw i ddim yn byw fel rhywun o'r oes o'r blaen. Rydw i'n cael cawod ar ôl codi ac yn berwi dŵr yn y tecell trydan, yna'n coginio fy uwd ar y stof drydan ac yn rhoi tafell o fara yn y tostiwr. Pan af i'r stydi, rydw i'n gwrando ar y negeseuon ffôn ar y peiriant ateb ac yn pwyso swits bach i gael bywyd yn y cyfrifiadur. O'r cefndir, daw sŵn y radio. Mae gen i olau trydan ac rydw i'n rhoi llefrith yn yr

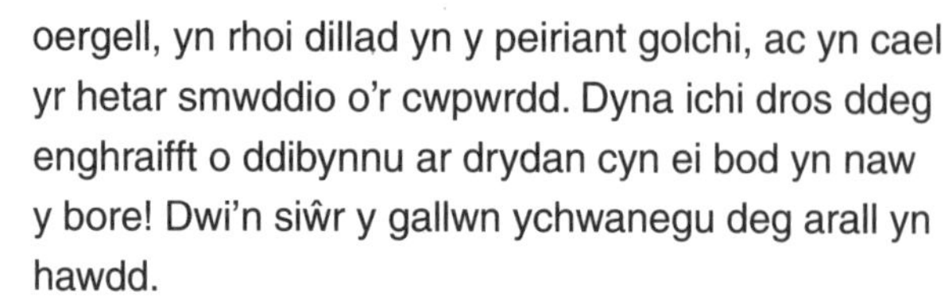

oergell, yn rhoi dillad yn y peiriant golchi, ac yn cael yr hetar smwddio o'r cwpwrdd. Dyna ichi dros ddeg enghraifft o ddibynnu ar drydan cyn ei bod yn naw y bore! Dwi'n siŵr y gallwn ychwanegu deg arall yn hawdd.

Fedra i ddim meddwl am fyw heb drydan ac rydw i'n cyfrif yr uchod yn hanfodion. Eto, mae 1.6 biliwn o bobl yn y byd yn byw heb drydan. (O ran hynny, does gan draean o boblogaeth y byd ddim ffôn.) Felly'r cam cyntaf ydi sylweddoli mai moethusrwydd ydi trydan, nid rhywbeth hanfodol. Ac os ydw i'n byw mewn rhan o'r byd sy'n mwynhau'r moethau hyn, fy nghyfrifoldeb i ydi sut i ddelio â'r canlyniadau. Mae rhywbeth ofnadwy o annheg yn y ffaith ein bod yn defnyddio'r holl offer trydanol yma, a phan ddaw eu hoes i ben rydym yn eu lluchio ar y domen sbwriel ac yn disgwyl i eraill gael gwared ohonynt.

Ac mae rhywbeth *uffernol* o annheg yn y ffaith fy mod i (trwy ddefnyddio trydan) yn creu carbon, a bod hyn yn ei dro (trwy gynhesu byd-eang) yn achosi canlyniadau difrifol yn y gwledydd tlawd sydd ddim yn defnyddio trydan eu hunain. Rydw i eisiau manteision llawn offer trydan, ond yn Affrica ac Asia y bydd y cnydau'n methu. Rydw i eisiau gyrru car a chael gwyliau mewn gwledydd tramor, ond Affrica sy'n dioddef y sychder ac Asia sy'n dioddef y llifogydd.

Be ddyliwn i ei wneud? Mynd i nôl fy ysgub, yfed llefrith sydd wedi suro a baglu o gwmpas y tŷ yng ngolau cannwyll? Ddim o reidrwydd. Petawn i ond yn defnyddio chydig llai o drydan, mi allai hynny wneud gwahaniaeth.

Gwella dy hun drwy chwerthin

Rhestr sydyn o bethau i'm hatgoffa o fy ôl troed carbon:

Hedfan i Barcelona - defnyddio 1,109 kg o garbon
Blwyddyn o yrru car - defnyddio 5,000 kg o garbon
Lluchio bagiad o sbwriel - defnyddio 20 kg o garbon
Bwyta cilogram o fwyd - defnyddio 5 kg o garbon
Berwi cwpanaid o ddŵr - 25 cwpan yn fwy o garbon.

Pethau y gallaf eu gwneud i leihau fy ôl troed carbon:

Tecell

Hwn ydi'r teclyn gaiff ei ddefnyddio amlaf yn ein tŷ ni. Y cwbl sydd angen ei wneud ydi berwi dim ond hynny o ddŵr sydd ei angen arnom. I wneud y dasg yn haws, mae 'na jwg mesur gerllaw sy'n ei gwneud yn hawdd iawn i fesur y dŵr. *Mae'n gas gen i'r jwg yma.* Mae'n well gen i lenwi'r tecell i'r top fel y bydd digon o ddŵr ynddo'r tro nesaf bydda i eisiau paned. Efallai y dylwn feddwl am bobl Bangladesh, a defnyddio'r jwg heb gwyno.

Planna goeden

Sbwriel

Ches i fawr o ddewis yn y mater hwn. Rhoddodd y Cyngor y gorau i gasglu sbwriel bob wythnos. Bob yn ail wythnos y dônt rŵan, a bob yn ail wythnos y casglant wastraff gardd. O ganlyniad, rydyn ni wedi'n gorfodi i ddarganfod ffyrdd o leihau'n sbwriel. Mae modd ailgylchu papur a phlastig a gwydr erbyn hyn, felly dydi'r rheiny ddim yn broblem. Mae canol rholiau papur tŷ bach yn wych ar gyfer plannu hadau. Mae modd torri bocsys bwyd brecwast yn ddarnau a'u rhoi ar y domen gompost. Yr aflwydd mawr ydi bagiau plastig. Maen nhw'n mynnu rhoi coblyn o bob dim fedran nhw mewn pecynnau plastig yn y siopau, felly'r unig ffordd o'u hosgoi ydi peidio prynu pethau mewn plastig.

Prynwch fwlb egni isel – gall arbed £100 i chi, ac mae'n para ddeuddeg gwaith hirach

Ailgylchu

Mae caffi heb fod ymhell oddi yma sydd wedi dechrau'r arfer o werthu deunydd heb fod mewn poteli a bagiau plastig. Gallwch brynu hylif golchi llestri, er enghraifft, a dod â'ch poteli'ch hun i'w gario adref. Gwych! Defnyddiwn bob cyfle fel hyn.

Peiriant golchi

Cyndyn iawn fyddwn i i olchi dillad ar dymheredd is, gan mod i'n grediniol fod dŵr poethach yn golchi dillad yn lanach. Petai hyn yn wir, ni fyddai dillad pobl sy'n dal i olchi eu dillad yn yr afon byth yn lân. Yn raddol y deuthum â'r tymheredd i lawr i 40 °C, ac yna i 30 °C. Dyma weld bod y dillad yn cael eu golchi llawn cystal, ac yn cadw'u siâp a'u lliw yn well. Hwyrach bod rhai pethau fel tyweli a chyfnasau a rhai dillad plant angen gwres uwch, ond o ran dillad-bob-dydd oedolion mae 30 °C yn hen ddigon da. (Gyda phethau butrach, yr ateb hawdd ydi eu rhoi mewn dŵr a sebon y noson cynt.

Mae hyn yn rhyddhau'r baw ac mae modd eu rhoi yn y peiriant drannoeth. Rhowch gynnig arni!)

Wela i ddim bod rheswn dros ddefnyddio sychwr tymblo – rhowch y dillad ar y lein a gadael i'r gwynt a'r haul eu sychu'n naturiol. (Ydi, mae tywydd Cymru'n gwneud hyn yn anodd, ond byddwch wedi arbed 1.5 kg o garbon bob tro!)

Hancesi go iawn

Does neb yn defnyddio'r rhain bellach; mae hancesi papur yn haws. Ond dim ond unwaith y gallwch ddefnyddio hances bapur, ac yna mae'n rhaid ei thaflu. Y ffordd syml o beidio â gorfod taflu hances bapur ydi mynd yn ôl i ddefnyddio hancesi go iawn (fel y gwnâi Nain a Taid) a'u lluchio i'r pentwr golchi yn hytrach nag i'r bin! Mae rhywbeth braf o hen ffasiwn mewn defnyddio hances.

Pin dur

Ydyn, mae beiros a ffelt tips yn handi, ac mae pawb yn eu defnyddio. Ond fe'u gwneir o blastig, a gan amlaf fe'u lluchiwn pan dderfydd yr inc. Un ffordd o leihau'r defnydd o blastig ydi prynu pin dur a'i lenwi o botel inc. Mae ysgrifennu efo pin dur go iawn yn llawer brafiach (a mwy rhamantus), a choeliwch neu beidio, byddwch yn dod yn ffond iawn ohono.

Batris

Mae batris y gellir eu hailwefru'n bethau gwych i arbed arian. Oes, mae angen gwario mwy i brynu'r batris i ddechrau, a phrynu teclyn i'w hailwefru.

Dim bagiau am ddim mewn siopau o hyn ymlaen

O'r diwedd, rydw i wedi dod i arfer â mynd â fy mag siopa efo mi (yn union fel y byddai Taid a Nain yn ei wneud pan oeddwn i'n fach), ond os bydda i allan yn y car ac yn mynd i siop, fydd gen i ddim bag. Bydd rhaid mynd i'r arfer o gadw bag neu ddau yn y car bob tro – a'u dychwelyd i'r car wedi i chi wagio'r siopa!

Ond wedi ichi fuddsoddi ynddyn nhw, fydd dim angen i chi brynu batris byth eto! Bob tro maen nhw'n darfod, dim ond eu gosod yn y plwg dros nos a bydd gennych fatris cystal â newydd erbyn y bore. (Dull arall ydi defnyddio offer y gallwch eu weindio. Mae plant wrth eu bodd efo tortsh y gellir ei weindio, ac mae modd cael radio y gallwch ei weindio a dim batris ynddi o gwbl!)

Gostwng gwres y tŷ

Mae hwn yn un anodd, achos does dim byd gwaeth na bod yn oer yn eich cartref eich hun. Gall addasu'r thermostat beri drwgdeimlad gwirioneddol rhwng y rhai sy'n cyd-fyw dan yr un to. Ei ostwng yn raddol ydi'r ateb – ond rhaid i hyn gael ei wneud trwy gytundeb! Trowch y deial i lawr un radd Celsius. Gwisgwch eich hoff siwmper, ac os ydi hi'n oer iawn, swatiwch efo potel dŵr poeth. Mae hyn yn swnio'n hurt nes ein bod yn meddwl am y ffermwr o'r Affrig sy'n methu bwydo'i deulu am fod y cynhaeaf wedi methu. Unwaith y cofiwn ni hyn, daw sgorio pwyntiau yn erbyn eich cymar yn llai pwysig. (O ostwng y gwres ddim ond mymryn, gallwch fod ar eich ennill o tua £30 y flwyddyn a byddwch wedi arbed hyd at 250 kg o garbon.)

Defnyddiwch fatris y gellir eu hailwefru, a helpu i leihau'r 250,000 tunnell o fatris a gaiff eu taflu bob blwyddyn

I'r sawl sy'n deud nad ydi o/hi yn defnyddio cymaint â hynny o drydan . . .

Yn ystod eich bywyd, byddwch wedi yfed 75,000 cwpaned o de, ac wedi mynd â phum set deledu a saith cyfrifiadur i'r domen. Byddwch wedi treulio 129 diwrnod yn gwneud dim byd ond smwddio! Byddwch hefyd wedi defnyddio 119 km o bapur tŷ bach, wedi yfed dros 31,000 can o ddiod, ac wedi gyrru 722,000 milltir.

Nwyddau nad ydynt angen trydan

Am flynyddoedd, bûm yn torri gwair efo strimyr. Hwn oedd y teclyn mwyaf handi oedd gen i yn yr ardd, a byddwn yn mynd i hwyl garw efo fo (braidd fel Strempan!) – yn cael gwared ar bopeth oedd mewn golwg. Yn fy mrwdfrydedd, byddwn yn gwthio'r peiriant i wneud pethau oedd y tu hwnt iddo, a byddai'n torri. Digwyddai hyn bob blwyddyn, a deuthum yn reit gyfeillgar gyda'r dyn trwsio offer trydanol. Pan fyddai'r strimyr yn torri'n derfynol, byddwn yn mynd ag o i'r domen sbwriel ac yn mynd allan i brynu un arall. Hawdd.

Yn y diwedd, prynodd y Dyn Fej (fel bydda i'n galw'r gŵr) beiriant torri gwair hen ffasiwn, ac mae hyn wedi ateb y broblem. Chwerthin am ei ben o ddaru mi ar y cychwyn, ond rydw i wedi cymryd at y peiriant erbyn hyn. Y cyfan sydd raid ei wneud ydi ei wthio, a does dim angen trydan o gwbl. Mae ganddo sŵn esmwyth braf, ac rydw i'n gwybod ei bod hi'n haf pan fydda i'n dechrau'i ddefnyddio.

Diffodd cyn cysgu

Os ydych o ddifri . . .

1. Gwnewch restr o'r nwyddau trydanol sydd ymhob stafell yn eich cartref. Gosodwch nhw yn nhrefn blaenoriaeth. Pa rai gaiff eu defnyddio amlaf? Oes 'na rai sy'n anodd cyfiawnhau eu bodolaeth? Oes 'na rai sy wedi torri? Oes bwriad o gwbwl i'w trwsio?

2. Y tro nesaf yr ewch i'r lle ailgylchu, sylwch faint o offer trydanol sydd wedi'i roi yno. Mae 'na bethau yno sydd bron yn newydd sbon. Does 'na ddim diwylliant trwsio bellach.

3. Newidiwch eich cyflenwr trydan i un sy'n defnyddio egni gwyrdd. Gallwch wneud hynny dros y We, os dymunwch. (Na, does gen innau ddim syniad sut mae hyn yn gweithio, ond dwi'n fodlon derbyn y ffaith.)

4. Wrth brynu oergell newydd, cofiwch mai 'A' sydd orau i'r amgylchedd a 'G' sydd waethaf.

5. Petaech yn diffodd y teledu'n llwyr bob tro, yn hytrach na'i roi i gysgu, gallech arbed gwerth 20 kg o lygredd carbon mewn blwyddyn. I wledydd Prydain gyfan, byddai hynny'n golygu arbed hanner miliwn tunnell o garbon. Yn y rhan fwyaf o gartrefi, mae oddeutu deuddeg teclyn sydd wedi hanner eu diffodd. O ddiffodd y rhain yn llwyr, byddech wedi arbed cymaint o lygredd carbon â'r hyn mae un goeden yn gallu'i sugno.

6. Rhywbeth fydda i byth yn cofio'i wneud yw rhoi caead ar sosban wrth ferwi rhywbeth. Mae'n arbed 90% o'r gwres a ddefnyddir i goginio, medden nhw.

Chwilia am y drws agored

Gwella Ansawdd y Tŷ

(pennod sydd ddim yn mynd i apelio at y rhamantwyr yn eich mysg!)

Does yna ddim llawer o bethau mwy cynhyrfus na dod yn berchen ar eich tŷ eich hun, yn enwedig os oeddech chi'n meddwl am flynyddoedd na fyddai'r fath beth byth yn digwydd. Mae pymtheng mlynedd a mwy ers i hynny ddigwydd i mi, ond dwi'n dal i gofio'r wefr.

Doedd 'na fawr o siâp ar y tŷ – roedd angen ei ail-wneud o i gyd – ond es ati efo brwdfrydedd a sêl, ac ymroi i'r dasg gant y cant. Ro'n i'n pluo fy nyth, ac roedd gen i gant a mil o freuddwydion am y dyfodol. Hen waith budr a diflas oedd o'n aml, ond fe'i gwnawn yn llawen gan ddychmygu'r pleser digymar o gwblhau'r dasg a symud yno i fyw.

Fy narpar gartref i fy hun, a neb arall, oedd o ar y pryd, felly fi gâi benderfynu'r lliw a'r cynllun a'r dodrefn a phopeth arall. Doedd dim angen trafod (na chyfaddawdu) efo neb arall. Gan nad oedd 'na ddim byd o gwbl yn y tŷ, roedd angen cryn dipyn o

> Yn bersonol, fy marn i ydi nad oes 'na ddim un ffordd o wneud y pwnc hwn yn un diddorol

siopa, felly roedd o'n esgus i wario a theimlo'r wefr o gael bargen hwnt ac yma. Ew, mi ddaru mi fwynhau'r cyfan.

Ond o ran y penderfyniadau llai rhamantaidd, fel sut ro'n i'n mynd i gynhesu'r tŷ a ballu, rois i fawr o ystyriaeth i'r rheiny. Gwyddwn mod i eisiau tŷ clyd, tân glo, gwres canolog a digon o ddŵr poeth, felly trefnais i Wil Dolifan, y plymar, wneud hynny'n bosib – ac mi wnaeth. Ynglŷn â'r crac yn y ffenest, wnes i ddim byd; mae'r crac yn dal yno, a gwres yn dal i ddianc ohono.

Gan mod i eisiau llawr pren, codais bob carped, a Nhad druan gafodd y gwaith o lyfnu'r coed a gosod y farnish. Mae llawr pren yn llawer haws i'w gadw'n lân, ond myn coblyn i, mae drafft yn dod trwyddo yn y gaeaf! Mae o ar y rhestr 'Pethau i'w Gwneud' ers pum mlynedd, ond dydw i ddim wedi gwneud affliw o ddim ynglŷn ag o.

Mae gen i broblem efo cau drysau. Dwi'n greadures sy'n hoffi gadael pob drws yn agored fel y gallaf hwylio trwyddynt pan ydw i eisiau. Dwi'n tybio mai rhyw dwtsh o glawstroffobia sy'n gyfrifol am hyn; mae ngŵr yn dweud mai diogi ydi gwraidd y broblem. Beth bynnag ydi'r rheswm, dydi gadael drysau heb eu cau ddim yn beth da i gadw tŷ yn gynnes.

Mae'n siŵr fod yr un problemau gan bob uned deuluol. Cyfaddawd ydi allwedd pob cyd-fyw. Ond rhyw faterion fel hyn sy'n codi'u pennau pan mae gwahanol aelodau o'r teulu'n ceisio gwneud y cartref yn gynaladwy.

Fy hoff beth i (yn arfer bod) oedd tân glo agored. Fyddwn i ddim wedi gallu byw mewn tŷ heb simdde ynddo. Gallaf gofio'r union noson y llwyddais i ailgynnau'r tân ar yr hen aelwyd am y tro cyntaf. Ro'n i wedi cael dyn draw i lanhau'r simdde, ac yna ro'n i'n barod am y prawf mawr. Gosod y tân a'i danio. Digon o ryfeddod. Roedd y simdde'n tynnu'n dda, ac roedd 'na dân digon mawr i wneud Satan yn genfigennus.

Wrth addurno, ceisiwch gael paent naturiol yn lle un sy'n llawn cemegau

Cofiaf feddwl ar y pryd, 'Mae hwn bellach yn gartref.' Ew, ro'n i'n lecio fy nhân.

Ond tydi glo ddim yn gynaladwy, a dyma gael fy mherswadio (ar ôl trafodaethau maith) y dylem gael ffordd fwy cynaladwy o wresogi'r tŷ. Mewn rhyw warws yn y canolbarth, dyma gael fy nghyflwyno i stôf goed a phenderfynu cael un o'r rheiny yn lle tân glo. Y stori go iawn oedd ei bod hi'n ddychrynllyd o wlyb y diwrnod hwnnw, ac ro'n i a fy mab wedi gwlychu at ein crwyn. Cofiaf eistedd o flaen stôf losgi coed yn y warws, ac roedd y gwres – unrhyw fath o wres – fel rhodd gan y duwiau. Petai hi'n ddiwrnod heulog, sych, efallai na fyddai'r syniad wedi cael sêl fy mendith mor hawdd. Beth bynnag, dyna sut y daeth y stôf losgi coed i'n tŷ ni. Does gen i ddim tân agored fel ag o'r blaen, felly, ond mae cael fflam fyw yn y stafell fyw'n ganmil gwell na gwresogydd trydan. Wedi dweud hynny, system wres canolog yn ddibynnol ar olew sydd ganddon ni, ac ar wahân i'r gost, dydw i ddim yn hapus o gwbl ein bod yn llosgi olew.

Gallwn i gyd feddwl am ffyrdd gwell o wresogi ein tai. Mae hyn yn fy arwain at fy nghas bwnc – insiwleiddio. Gas gen i sŵn y gair, a does fawr o bynciau sy'n peri i'm calon suddo'n is nag y gwna hwn.

Mae insiwleiddio'n golygu gwydr dwbl ar ffenestri. Dwi'n lecio fy ffenestri fel ag y maent, diolch yn fawr – hen ffenestri pren sy'n gadael gwres allan, ac yn dod ag oerni i mewn. Dydi o ddim yn gwneud synnwyr cynaladwy, mi wn, felly rydw i wedi cymryd y cam mawr o ffonio saer, ac mi gawn ni wydr dwbl yn y man. Dyma ichi beth arall sydd ar y rhestr 'Pethau i'w Gwneud'.

Mae 'na un peth rydyn ni *wedi* 'i wneud – insiwleiddio'r atig. Mae hynny'n weddol syml. Petaech yn holi, hwyrach y byddech yn ddigon ffodus i gael grant gan y Cyngor i insiwleiddio'r atig neu waliau'ch tŷ – os nad ydych wedi gwneud hynny eisoes.

Yn bersonol, fy marn i ydi nad oes 'na ddim un ffordd o wneud y pwnc hwn yn un diddorol. Felly, ymddiheuriadau am hynny. Mae'n fater o eistedd i lawr un noson, ystyried a oes 'na lefydd yn y tŷ y gallech eu gwella er mwyn cadw gwres i mewn – a mynd ati i wneud hynny. Mae angen dod o hyd i rifau ffôn a'u ffonio.

Peidiwch â'u rhoi nhw ar restr, fel y gwnes i, a'u gadael ar hynny. Mae pobl normal, siŵr iawn, yn cadw'u tai mor ddiddos â phosib efo'u gwydr dwbl a'u diffyg drafftiau. Fy mhroblem fach i ydi mod i'n dal heb fynd ati i ddelio â hyn o ddifri.

Wfft i'r teledu!

Lluchio'r Teledu trwy'r Ffenest

Does fawr i'w ddweud ar y pwnc hwn. Mae testun y bennod yn dweud y cyfan.

Mae rhai'n dweud ei fod yn bwnc anodd i blant ymdopi ag o. Efallai fod hynny'n wir. Rydw i'n siarad o brofiad. Lluchiodd fy mam y teledu drwy'r ffenest, a bu'n rhaid i mi fyw efo'r canlyniadau. Yn y chwedegau, fi oedd y person unig ar gyrion buarth yr ysgol pan fyddai pawb arall yn yr ysgol yn chwarae gêm dyfalu enwau rhaglenni teledu. Fi oedd y plentyn esgymun yn y dosbarth pan oedd pennod *Coronation Street* yn cael ei thrafod drannoeth. Pan fyddai plant breintiedig yr ysgol yn brolio bod ganddynt deledu lliw yn eu cartref, doedd bod heb un du a gwyn, hyd yn oed, *ddim* yn cŵl.

Rydw i wedi goroesi. Llwyddais i ddifyrru fy hun yn yr oriau meithion wedi'r ysgol. Bellach, dwi'n ddiolchgar na ddaru Mam wrando ar fy swnian parhaus. Pan welais effaith teledu ar fy mhlentyn fy hun, gwyddwn y dylwn innau gael gwared arno. Ond ro'n i'n eitha ffond o'r teledu fy hun (ac mae iddo ei fanteision, wrth gwrs, fel dod â gwybodaeth yn fyw inni, yn enwedig mewn rhaglenni natur), ac mi gymerodd dair blynedd i mi ddod i benderfyniad.

Y ffraeo setlodd bethau yn y diwedd. Roedd y cwyno ro'n i'n ei gael bob tro y diffoddwn y teledu'n mynd ar fy nerfau. Roedd yr hysbysebion diddiwedd yn mynd ar fy nerfau'n fwy fyth.

Wfft i'r teledu, meddwn, a'i daflu trwy'r ffenest.

Dydi o ddim yn benderfyniad mor anodd, bellach – ddim os oes gennych gyfrifiadur. Mae modd gwylio rhaglenni teledu ar hwnnw, dim ond ei fod yn fymryn mwy o strach. Ond mae cael gwared ar deledu'n eich rhyddhau i wneud yr holl bethau hynny nad oes gennych byth yr amser i'w gwneud fel arall. Mae'n atal eich plant rhag troi'n sombis.

Ac, wrth gwrs, does dim raid i chi luchio'r teledu'n llythrennol drwy'r ffenest! Dim ond ei ddatgysylltu un diwrnod, ei roi yn y car, a mynd ag o i'r ganolfan ailgylchu agosaf.

Cofia orffwys

Mae'r sawl sy'n gwybod bod
ganddo ddigon yn gyfoethog

(o *Tao Te Ching*, a gofnodwyd tua 250 cc)

Gwneud Pethau'n Lleol

Cadw dy gymuned yn fyw

'Byw'n hapus ar lai' ydi is-deitl y llyfr hwn. I wneud hynny, mae angen symleiddio'n bywydau. Y bobl sy'n byw'r bywydau mwyaf gwyrdd yn ein byd ni ydi'r bobl dlotaf, ond nhw hefyd ydi'r bobl hapusaf. Mewn arolwg o bobl fwyaf bodlon y byd, pobl Bangladesh ddaeth ar frig y rhestr, ac roedd pobl gwledydd Prydain yn eithaf isel arni. Yn amlwg, felly, nid cael llawer o eiddo sy'n rhoi hapusrwydd i bobl. Er bod cyfoeth pobl Prydain wedi cynyddu'n aruthrol ers y pumdegau, aros rywbeth yn debyg wnaeth 'graddfa bodlonrwydd'.

Mewn sawl arolwg o'r hyn a wnaiff bobl yn hapus, mae cwmni teulu a ffrindiau'n dod yn uchel iawn ar y rhestr, ynghyd â'n hymwneud â phobl eraill. Cawsom ein creu yn bobl gymdeithasol, ac un o broblemau mwyaf yr oes fodern ydi unigrwydd. Mae ymdeimlad o berthyn i gymuned yn cael ei werthfawrogi, ac mae hwnnw'n mynd yn beth prinnach wrth i bobl ddod yn fwy symudol.

Eleni, yn lle gwneud fy rhestr hirfaith arferol o'r hyn sydd angen ei wneud yn y tŷ, gwnes restr o addunedau am bethau fyddai'n arafu fy mywyd. Yn eu mysg roedd neilltuo mwy o amser i wylio adar ac astudio'r sêr.

meddylia'r gorau o bobl

Beth fyddai ar eich rhestr chi? Beth bynnag ydyn nhw, gwnewch addunedau y byddwch yn ceisio'u gwireddu. Ers y Calan, ychydig iawn o adar rydw i wedi'u gwylio (a llai byth o sêr!). Ond o leiaf mae'r bwriad yno.

Dydyn ni ddim angen arian mawr i fwynhau ein hunain, felly mae angen ailedrych ar ein patrwm gwaith. Pobl gwledydd Prydain sy'n gweithio'r oriau hiraf yn Ewrop. Weithiau mae'n haws boddi ein hunain mewn gwaith na cheisio ystyried sut fywyd rydyn ni am ei fyw. (Yn aml iawn hefyd, mae boddi ein hunain mewn gwaith yn y swyddfa neu'r gweithle'n dod yn haws inni na delio hefo materion gartref.) Ond, o edrych yn ôl ar eu bywydau wedi iddynt ddod i ddiwedd eu gyrfa, prin iawn yw'r bobl sy'n difaru na wnaethon nhw fwy yn eu man gwaith. Y gŵyn gyffredin ydi bod plant wedi tyfu'n rhy sydyn, a bod amser efo'r teulu wedi bod yn llawer rhy brin.

Efallai mai rŵan ydi'r amser i ddweud 'Na' wrth y cynnig yna o ddyrchafiad; bodloni ar ein gwaith, a meddwl faint o amser hamdden sydd gennym a beth ydi'r defnydd gorau y gallem ei wneud ohono. Gwneud gwaith sy'n cyd-fynd â'n hanghenion ddylen ni ei wneud, nid teilwra'n bywydau i ffitio'n swydd.

Fel Cymry Cymraeg, mae hen ddigon o gyfleoedd i wneud pethau'n lleol (gormod, fyddai rhai'n ei ddweud). Mae gwaith gwirfoddol yn gwneud pobl yn hapus, felly gallwn helpu efo'r papur bro, cymdeithasau lleol, siopau elusen, eisteddfodau lleol, yr ysgol, y capel, y cylch meithrin a phob math o ddigwyddiadau ar stepen ein drws. Mae hon yn ffordd dda o ddod i adnabod pobl newydd, ac o gadw mewn cysylltiad.

Does dim dwywaith nad ydi Facebook yn ddifyr, a bod llawer o hwyl i'w gael, ond gall fod yn gyffur hefyd. Llai o Facebook ambell noson, felly, a mwy o gyfathrebu go iawn wyneb yn wyneb! Does dim modd dod ymlaen efo pawb, wrth gwrs, a does yna mo'r fath beth â chymuned berffaith lle mae

Hon oedd fy ffenestr ('Preseli', *Dail Pren*, Waldo Williams)

Dos allan o'r tŷ

pawb yn ffrindiau efo'i gilydd, ond tuedd yr oes ydi ceisio byw'n annibynnol nes bod dibyniaeth yn dod yn orfodol. Gofynnwch gymwynas gan rywun weithiau – bydd llawer un yn falch o gael helpu, ac mae cymdogaeth iach yn un lle rydyn ni'n gorfod dibynnu'r naill ar y llall.

Weithiau, rhywun i warchod y plant fyddwn ni ei angen, dro arall rhywun i edrych ar y cyfrifiadur neu drwsio rhyw declyn. Os oes gennych ormod o gynnyrch gardd, cynigiwch beth i rywun arall. Ewch am dro i weld pwy welwch chi; ewch â phlant eich ffrind i'r parc am awr. Codwch sbwriel oddi ar y stryd, cyfarchwch y postmon, cynigiwch gario neges i rywun. Yn lle melltithio pobl ifanc, cyflogwch nhw i wneud rhyw joban fechan. Cynigiwch lifft

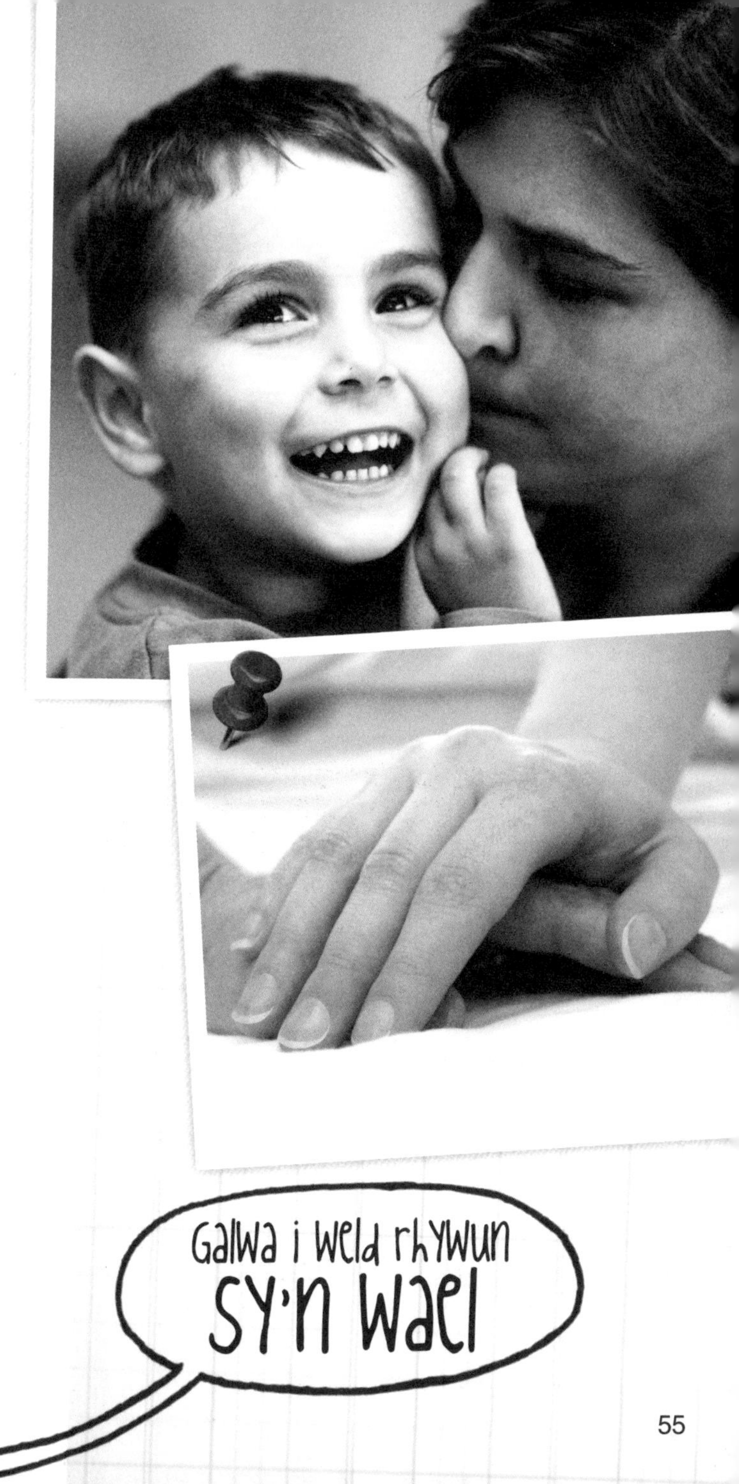

Galwa i weld rhywun
sy'n wael

i rywun, ymunwch â chôr, cefnogwch y siop leol neu'r swyddfa bost, prynwch y papur bro, ymunwch â chlwb, galwch heibio i weld rhywun, cydymdeimlwch, gwrandwch ar bobl. Mae pob un o'r pethau bychain hyn yn ffordd o gadw cymuned yn fyw.

Efallai fod y rhain yn ymddangos yn bethau dibwys iawn, ond mae pob un ohonynt yn mynd yn groes i duedd yr oes. Cwmnïau mawr sy'n rheoli'r farchnad i raddau helaeth ac mae'r *multinationals* hyn yn fwy pwerus a chyfoethog na sawl gwlad. Weithiau, rydyn ni'n teimlo fel bloeddio yn erbyn hyn – nad ydym am Facdonaldeiddio'n bywydau i'r fath raddau neu ei Descoeiddio y tu hwnt i bob adnabyddiaeth. Ambell waith rydym yn teimlo bod pethau pwysicach nag arian a gwneud pres, a'n bod yn haeddu gwell nac eistedd fel llymbar o flaen teledu yn cael ein denu i wario ar bob aflwydd dan haul. Bob hyn a hyn, teimlwn mai llonydd oddi wrth y pwerau mawr rydyn ni ei angen fwyaf, a'r hawl i gyd-fyw mewn cymdeithas fechan ar delerau da â'n cymdogion. Awyr iach, cwmni ac iechyd – dyna'r pethau rydyn ni'n eu gwerthfawrogi uwch popeth arall.

Weithiau mi fydda i'n anobeithio ac yn meddwl mai'r cwmnïau mawr sydd wedi ennill y dydd, ac mai breuddwyd gwrach ydi credu y gallwn ni fyth droi'r cloc yn ôl. Ar adegau felly, wyddoch chi beth sy'n codi fy nghalon? Clywed am rywun arall yn brwydro yn erbyn y Mawr: criw o radicaliaid wedi meddiannu llain lanio, eco-filwyr yn meddiannu coed i'w harbed rhag cael eu torri, cymuned yn

Cod dy galon!

cymera seibiant pum munud

Brwydra yn erbyn y MAWR!

gwrthwynebu cynlluniau i gau ei hysgol leol, pentref wedi codi fel un yn erbyn ail siop Tesco 24-awr, ympryd rhywun yn erbyn Trident, gorymdaith o blaid y di-waith. Pan glywaf am y brwydrau bach hyn, dydw i ddim yn teimlo'n od ddim mwy. Teimlaf fod brawdoliaeth trwy'r byd i gyd yn ceisio brwydro dros gadw gwerthoedd sydd wedi bod mewn perygl ar hyd yr oesau.

Dim ond ein bod ni bellach, yn yr unfed ganrif ar hugain, mewn tipyn mwy o argyfwng. Dim ond yn ystod ein hoes ni yr ydym wedi gweld y blaned yn cynhesu i'r fath raddau. Dim ond yn ystod ein hoes ni yr ydym wedi gweld yr iâ ym Mhegwn y Gogledd yn dadmer. Dim ond yn ddiweddar iawn yr ydym wedi gweld llifogydd yn dinistrio trefi. Mae gwneud unrhyw beth i achub yr amgylchedd y dyddiau hyn – waeth befo pa mor ddibwys – yn golygu gwneud cymwynas enfawr â'r ddaear.

Gwerthfawroga bethau na all arian eu prynu

Heddiw . . . rydw i am:
hedfan llai
brynu llai
yrru llai
fodloni ar lai
. . . er mwyn newid y byd!

Diweddglo

Mae hi'n daith gynhyrfus sy'n cychwyn heddiw, gan wneud pethau gam wrth gam. Wynebwn yr her wythnosol! Prynu dim byd am un diwrnod yr wythnos, cymryd gwyliau o'r archfarchnad, hepgor y car a mynd ar y bws, golchi ar dymheredd is, dechrau prynu nwyddau ail-law . . .

Ond mae 'na ail filltir i'w throedio yn ogystal, os ydym am beri newid go iawn. **Gallwn ddysgu bod yn fodlon ein byd ond meithrin ein hunain i fod yn anfodlon â'r Drefn** (yn lle bodloni ar y Drefn a bod yn anfodlon ynom ein hunain!).

Y tro nesaf y daw cais i chi sgwennu llythyr, codwch bin sgrifennu. Pan welwch ddeiseb, arwyddwch. Pan ddaw etholiad, pleidleisiwch. Pan gynhelir cyfarfod, mynychwch. Pan welwch boster protest neu rali, neilltuwch awr i fynd yno.

Er bod y pwerau mawr yn mynnu nad ydi lleisiau bach yn cyfrif, mae dod â phobl at ei gilydd yn esgor ar rym rhyfeddol.

Awn ati – i newid y byd!